Terremoto

15

Escrito por Leyla Torres
Ilustrado por Jamie Smith

Tomás y su perro Terremoto están
aburridos. El carrito de Tomás se perdió.
—¡Vamos a buscarlo! —dice el abuelo.

¿Estará arriba?

El abuelo, Tomás y Terremoto buscan

el carrito por todos los cuartos.

Ellos lo buscan por todas partes.

¡El carrito no está!

¿Estará abajo?

Ellos lo buscan debajo del sofá.

¡El carrito no está!

Ellos lo buscan por el piso, en un jarro y bajo una gorra. Recorren toda la casa. ¡El carrito no está!

¿Estará en la casita de Terremoto?

Todos corren a la casita de Terremoto.

¡El carrito está en la casita!

¿Qué occure ahora?

¡El carrito está roto!

—¡Anímate! Lo vamos a arreglar con mis herramientas —dice el abuelo.

¿Qué ocurre ahora?

¡Las herramientas no están!

Ellos buscan las herramientas arriba y abajo. Recorren toda la casa.
¡Las herramientas no están!

¿Dónde estarán?

¿Estarán en la casita de Terremoto?

Todos corren a la casita de Terremoto.

¡Las herramientas están en la casita!

Mis palabras

abajo
ahora
ellos

RR rr

rra	**rre**	**rri**	**rro**
gorra	ocurre	aburrido	perro
	Terremoto	arriba	
		carrito	

Palabras del cuento: arreglar, estará, herramienta, jarro

ISBN 0-590-97055-0   Copyright © 1998 by Scholastic Inc.   All rights reserved.   Printed in the U.S.A.
2 3 4 5 6 7 8 9 10   33   03 02 01 00 99